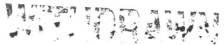

Perdu dans un immense désert de sable blanc,
il y a un village minuscule.

C'est là que vit **Mehdi**,
un petit garçon aux cheveux hérissés
par Sirocco le vent,
cet ami qui lui tient si souvent compagnie.

Comme tous les gens du village,
Mehdi sait lire les messages dans les plis des dunes,
dans les étoiles et dans le vent…

Il sait aussi lire les lettres dans le sable,
car des livres ici, il n'y en a pas ;
ou plutôt, si, il y en a un, un seul, tout jauni,
tout racorni, tellement usé que le vieux sage
qui le possède le garde comme un trésor…

Ce trésor, il l'a montré un jour à Mehdi
en lui disant :
– Un livre, c'est comme un jardin
que l'on peut mettre dans sa poche.

Depuis, Mehdi rêve d'avoir un livre entre les mains,
pour le plaisir de feuilleter les pages,
lire et relire cent fois les mêmes passages,
savourer lui-même les mots.
Mais le minuscule village est tellement loin
des villes et de leurs bibliothèques !

Pourtant Mehdi rêve…
Il rêve chaque jour davantage et, chaque soir,
les flammes du feu font briller ses yeux
quand il écoute les histoires racontées
par le vieux sage.

Le lendemain, avec son doigt,
il écrit et dessine ces mêmes histoires
sur le livre blanc des dunes.

Mais le vent moqueur souffle sur les mots.
Sans se décourager, Mehdi recommence
en chuchotant :
– Sirocco, mon ami, n'efface pas ce que j'écris !

Pour moi, Sirocco, l'infatigable,
c'est si amusant
de souffler, souffler sur le sable
et d'effacer tout ce qu'a fait l'enfant !

Le rêve de Mehdi

Un jour pourtant, Mehdi se fâche.
Il se fâche contre ce vent,
il se fâche contre ce temps qui passe
et contre ces mots qui s'effacent.

Il va voir le vieux sage du village aux joues
aussi plissées que les dunes,
aussi fripées que son vieux livre usé.
Devant lui, le petit garçon tempête, rouspète.

Caressant de sa main la couverture de son unique
ouvrage, le vieux sage écoute et ne dit rien.
Mehdi parle de son rêve, son rêve de feuilleter
des pages où les mots restent là sans bouger,
attendant d'être à nouveau savourés.
Mehdi s'énerve, Mehdi pleure…

Alors, doucement, la voix du vieux sage s'élève :
– Sème les graines de ton rêve,
sème-les au vent, et écoute-le, cet ami !
Je crois qu'il a des choses à te dire…
Écoute-le bien !

Mehdi se calme et sèche ses larmes.

Passe, passe le temps,
passent les semaines,
c'est si amusant
de souffler à perdre haleine.

Passe, passe le temps,
avec l'enfant,
je peux faire un bout de chemin,
et ses rêves deviendront les miens…

Le temps passe ainsi et, chaque jour,
un sourire de plus en plus grand se dessine
sur le visage de l'enfant.

Chaque jour, il se sent plus sûr de lui.

Ces livres, il en a tellement envie !

Il ira loin… jusqu'à la ville pour en trouver !

C'est le vent qui le lui a dit.

Dans le ciel rose du matin,
Mehdi part, seul sur son chameau,
laissant derrière lui son village endormi,
et un message sur le sable pour le vieux sage :
« J'ai semé les graines de mon rêve.
Le vent a soufflé, je l'ai écouté.
Je vais, comme il me l'a dit, chercher des livres,
ces jardins de mots que je ramènerai
dans mes poches ! »

Mehdi est petit pour s'en aller ainsi,
mais il n'a pas peur.
Il connaît la route qui mène à la prochaine oasis,
cette île de verdure perdue dans les sables,
et Sirocco, son ami, lui soufflera le reste du chemin.
Il le lui a promis !

Dans le silence du désert commence alors
un long voyage.

Roulent, roulent les bosses du chameau,
cahote, cahote l'enfant sur son dos.

Dans le silence du désert, Mehdi n'est pas seul…
Un corbeau brun lui crie bonjour
en passant au-dessus de sa tête.

Un fennec curieux sort le nez de sa cachette
en entendant le frout-frout des sabots du chameau
sur le sable.

Mehdi joue du tambour et,
au rythme du roulis,
chante des chansons de son pays.

La journée passe ainsi, doucement,
et quand Mehdi arrive à l'oasis,
de petites étoiles commencent à briller
dans le ciel.

Soudain, il aperçoit un moula-moula,
l'oiseau porte-bonheur, sautiller de buisson en buisson
et voleter autour de lui.
Mehdi pousse un cri de joie, bondit
de son chameau, et se roule dans le sable
tandis que Sirocco souffle joyeusement sur lui.

Pour moi, Sirocco, l'infatigable,
c'est si amusant
de rire avec l'enfant !

Mehdi joue encore et encore…
Il court derrière un lézard,
attrape une sauterelle cachée
dans l'une des rares touffes d'herbes,
et s'amuse avec d'autres enfants de l'oasis.

Puis, fatigué, il s'allonge sur le sable
et regarde le manteau de nuit du ciel.
Véga, Polaris, Sirius, Altaïr…
Tous ces petits points lumineux portent un nom
et montrent la route à suivre.

Tous ces petits points lumineux sont si loin
et semblent pourtant si proches.
Mehdi pourrait presque les toucher !
Il sourit à cette idée et s'endort bientôt
sous le regard tendre des étoiles…

Dans le ciel rose du matin, Mehdi repart,
petit grain dans les vagues de sable…
La ville est encore très loin,
mais il est vraiment décidé ;
rien ne peut l'arrêter.

Perché sur son chameau,
rêve, rêve Mehdi,
aux livres et à leurs mots.

Mais soudain, le vent souffle
et commence à faire friser le sommet des dunes.
Le vent souffle et semble rouspéter.
Le vent tempête et pousse, pousse Mehdi
en dehors du chemin, le pousse toujours plus loin.

Mehdi ne comprend plus rien, il crie :
– Sirocco, mon ami, où m'emmènes-tu ?
La ville n'est pas par ici !

Pour toute réponse, le vent grossit, grossit…
et hurle au-dessus de sa tête.

Le sable tourbillonne haut…
de plus en plus haut !
Le chameau ne peut plus avancer.
Il s'arrête brutalement.

Mehdi a peur, Mehdi tremble.
Il se laisse glisser le long de l'animal,
s'enroule dans son chèche bleu, ce grand voile
qui le protègera de la folie du vent.

Aplati au sol, blotti contre son chameau,
Mehdi attend, longtemps, très longtemps.

Quand enfin Sirocco se calme,
Mehdi se relève, étourdi, perdu.
Il regarde autour de lui toutes ces dunes,
déplacées, décoiffées !…

Soudain il aperçoit au loin des silhouettes…
un homme et trois chameaux ! Oui !
Une caravane se dirige vers lui !
Mehdi crie et fait de grands signes.

L'homme s'approche de Mehdi.
– Bonjour, lui dit-il. Je m'appelle Bachir.
Ce vent était complètement fou !
Il m'a fait changer de route,
et ma caravane s'est perdue dans la tempête.

Mais pendant que l'homme lui parle,
le regard de Mehdi s'attarde sur les chameaux.
Il les regarde encore et encore, se frotte les yeux
et doucement s'approche d'eux.

– Mais… vous transportez des livres ! s'écrie Mehdi.
– Oui, répond Bachir, je suis bibliothécaire,
et depuis longtemps j'aime faire découvrir
les livres de village en village.

Mehdi pleure de joie, il caresse les livres
et raconte alors à Bachir son rêve…
le vieux sage… Sirocco…
– *Mektoub*, c'était écrit !
Je devais vraiment te rencontrer ! s'exclame Bachir.
Maintenant, c'est promis,
ma caravane passera toujours par ton village !
Il faut juste que tu m'y emmènes !

Ils partent alors ensemble, poussés par le vent.

Roulent, roulent les bosses des chameaux,
cahotent, cahotent les livres sur leurs dos.

Mehdi chante tout au long du chemin,
il chante pour le vieux sage et pour Bachir,
il chante pour son ami le vent
qui ne lui a pas menti…

Sirocco souffle et caresse la tête de Mehdi,
ébouriffant toujours un peu plus ses cheveux.
Sirocco souffle, souffle…
et les guide vers le village,
souffle doucement apportant un bruit,
une odeur, un chant…

Ils aperçoivent alors le minuscule village,
perdu dans l'immense désert de sable blanc.
Mehdi sourit…

À l'entrée du village, le vieux sage l'attend…
Il a été prévenu par le vent !
Et tous les villageois sont là, les accueillant
avec des cris de joie. Petits et grands attrapent
les livres, découvrant des images de pays
inconnus, des histoires drôles ou tristes
qu'ils n'avaient jamais entendues.

Mehdi serre un gros livre contre lui,
s'allonge sur le sol et commence à lire
avec plaisir l'histoire d'un petit garçon,
comme lui, qui vit dans un autre pays.

Pour moi, Sirocco, l'infatigable,
c'est si amusant
de souffler, souffler sur les pages,
et découvrir avec l'enfant,
l'histoire et ses images.

Mehdi sourit.
En semant les graines de son rêve,
il a enfin trouvé son jardin…
le livre qu'il a entre les mains.
Il sait maintenant que, quand il sera grand,
il ira lui aussi de village en village
porter des livres aux enfants.